TABUADA
COMPLETA

©TODOLIVRO LTDA.

Rodovia Jorge Lacerda, 5086 - Poço Grande
Gaspar - SC | CEP 89115-100

Criação:
Ângela Finzetto

Ilustração:
Belli Studio

Revisão:
Tamara Beims

IMPRESSO NA ÍNDIA
www.todolivro.com.br

INTRODUÇÃO

O termo aritmética vem do grego *arithmós*, que significa "reunir números". Parte fundamental da matemática, a aritmética é a ciência que estuda as várias operações possíveis entre os números e, portanto, tudo o que pressupõe um cálculo qualquer.

NOÇÕES BÁSICAS DE ARITMÉTICA

O que é quantidade?
Quantidade é tudo o que pode ser aumentado ou diminuído. A quantidade pode ser chamada de **contínua**, quando representa um todo sem interrupção (uma linha, por exemplo), ou de **descontínua** (discreta), quando representa um todo formado de partes separadas (uma porção de azeitonas, por exemplo).

O que é unidade?
Unidade é cada parte que forma um todo dentro de um conjunto ou sistema. É também a quantidade tomada como referência para comparar grandezas da mesma espécie, como a unidade de medida dentro do sistema métrico.
Exemplo: 2 km.

O que é número?

Número é a relação de vezes que a unidade está contida na quantidade. É usado para descrever quantidade, ordem ou medida.

O que é numeração?

Numeração é o sistema de representação dos números, que pode ser **escrita** (algarismos ou letras) ou **falada** (palavras).

O que são números naturais?

São números inteiros positivos (não-negativos) que se agrupam num conjunto chamado de N, composto de um número ilimitado de elementos. Se um número é inteiro e positivo, podemos dizer que é um número natural.
Exemplo: 0, 1, 2, 3, 4, 5, 6, 7, 8, 9, 10, 11 e assim por diante.

O que são números negativos?

Os números negativos, geralmente, representam uma dívida: são números menores que zero. O **número negativo** é seguido do sinal -.
Exemplo: -1, -2, -3, -4, -5, -6, -7, -8, -9, -10, -11 e assim por diante.

O que são números inteiros?

Números inteiros são o conjunto, a reunião dos **números naturais** e dos **números negativos**.
Exemplo: 0, 1, -1, 2, -2 e assim por diante.

O que é número par e número ímpar?

O número **par** é aquele que pode ser dividido por 2 sem deixar resto.
Exemplo: 2, 4, 6, 8, 10, 12 e assim por diante.
O número **ímpar** é aquele que não pode ser dividido por 2 sem deixar resto.
Exemplo: 3, 5, 7, 9, 11 e assim por diante.

• É fácil reconhecer um número par: são os números que terminam em **2, 4, 6, 8** e **0**. Já os números ímpares são aqueles terminados em **1, 3, 5, 7** e **9**.

O que são números racionais?

São as frações.
Exemplo: 1/2, 1/3, 1/5, 3/7 e assim por diante.
Esses números podem também ter representação decimal finita (exemplo: 2/10 = 0,2) ou decimal infinita e periódica (exemplo: 3/9 = 0,333).

O que é número primo?

Um número natural é primo se ele possui apenas dois divisores positivos e distintos. Ou seja, um número natural é primo se ele é maior que 1 e é divisível apenas por si próprio e por 1.

Exemplo: o número 2, que só é divisível por ele mesmo e por 1. O mesmo vale para 3, 5, 7, 11, 13, 17, 19, 23, 29, 31, 37 etc. Como se pôde observar, com exceção do número 2, todos os demais números primos são ímpares. Observe também que essa definição exclui o número 1 como primo.

Quais são as operações aritméticas?
Na aritmética, existem quatro operações básicas e seus sinais: **somar** (+), **subtrair** (−), **multiplicar** (×) e **dividir** (÷).

O que é uma equação aritmética?
É uma equação que envolve somente números.
Exemplos: 2 + 3 + 5 = 10; 3 − 2 + 9 = 10, 5 × 3 = 15 e assim por diante.

SOMAR
OU
ADICIONAR

Somar significa adicionar alguma coisa. Então, na **operação de somar**, ou **adicionar**, são reunidos em um número só diversas unidades da mesma espécie. Os números que compõem a soma chamam-se **parcelas** e o resultado chama-se **soma** ou **total**.

Como fazer a soma?

Escreva as **parcelas** uma embaixo da outra, de modo que os algarismos da direita de cada uma fiquem na mesma coluna. Passe um traço embaixo da última parcela e junte as unidades de cada coluna, umas com as outras, começando da direita para a esquerda.

Some todas as parcelas e você terá a soma, ou total.

Se a soma for maior que 9, isto é, de 10 em diante, escreva somente o algarismo da direita, levando o restante do número para somar com a coluna imediata à esquerda (coloque o número equivalente à dezena que excedeu sobre ele, para facilitar o cálculo, como nos exemplos abaixo).

Exemplos:

Parcela →	$\overset{1\ 1}{1489}$
Parcela →	+ 1045
Soma ou Total →	2534

Parcela →	$\overset{2\ 2}{235}$
Parcela →	499
Parcela →	133
Parcela →	+ 278
Soma ou Total →	1145

Prova real

Quando há apenas duas parcelas a somar, obtém-se a prova real subtraindo uma das parcelas do total: o resultado deve ser a outra parcela. Quando houver mais de duas parcelas, risca-se uma das parcelas e somam-se as demais. Subtrai-se essa nova soma da soma anterior: o resultado deve ser a parcela riscada.

TABUADA DE SOMAR

1 + 1 = 2	2 + 1 = 3	3 + 1 = 4
1 + 2 = 3	2 + 2 = 4	3 + 2 = 5
1 + 3 = 4	2 + 3 = 5	3 + 3 = 6
1 + 4 = 5	2 + 4 = 6	3 + 4 = 7
1 + 5 = 6	2 + 5 = 7	3 + 5 = 8
1 + 6 = 7	2 + 6 = 8	3 + 6 = 9
1 + 7 = 8	2 + 7 = 9	3 + 7 = 10
1 + 8 = 9	2 + 8 = 10	3 + 8 = 11
1 + 9 = 10	2 + 9 = 11	3 + 9 = 12
1 + 10 = 11	2 + 10 = 12	3 + 10 = 13
4 + 1 = 5	5 + 1 = 6	6 + 1 = 7
4 + 2 = 6	5 + 2 = 7	6 + 2 = 8
4 + 3 = 7	5 + 3 = 8	6 + 3 = 9
4 + 4 = 8	5 + 4 = 9	6 + 4 = 10
4 + 5 = 9	5 + 5 = 10	6 + 5 = 11
4 + 6 = 10	5 + 6 = 11	6 + 6 = 12
4 + 7 = 11	5 + 7 = 12	6 + 7 = 13
4 + 8 = 12	5 + 8 = 13	6 + 8 = 14
4 + 9 = 13	5 + 9 = 14	6 + 9 = 15
4 + 10 = 14	5 + 10 = 15	6 + 10 = 16
7 + 1 = 8	8 + 1 = 9	9 + 1 = 10
7 + 2 = 9	8 + 2 = 10	9 + 2 = 11
7 + 3 = 10	8 + 3 = 11	9 + 3 = 12
7 + 4 = 11	8 + 4 = 12	9 + 4 = 13
7 + 5 = 12	8 + 5 = 13	9 + 5 = 14
7 + 6 = 13	8 + 6 = 14	9 + 6 = 15
7 + 7 = 14	8 + 7 = 15	9 + 7 = 16
7 + 8 = 15	8 + 8 = 16	9 + 8 = 17
7 + 9 = 16	8 + 9 = 17	9 + 9 = 18
7 + 10 = 17	8 + 10 = 18	9 + 10 = 19

SUBTRAIR

A operação de subtrair quantidades é aquela na qual se encontra a diferença que há entre dois números.

Como fazer a subtração?

Para fazer essa operação, escreva o número maior (**minuendo**) em cima do menor (**subtraendo**), de forma que o primeiro algarismo da direita de cada um fique na mesma direção. Depois, tire cada unidade do número menor do correspondente maior.

O resultado dessa operação é chamado de **diferença** ou **resto**. Quando algum algarismo do minuendo for menor que o subtraendo, somam-se 10 ao minuendo e 1 ao subtraendo logo à esquerda, prosseguindo com o mesmo raciocínio até o final da operação. Coloque o número equivalente à dezena que excedeu ao lado dele, para facilitar o cálculo (veja o exemplo abaixo).

Exemplos:

Minuendo ⟶ 5
Subtraendo ⟶ - 4
Diferença ou resto ⟶ 1

Minuendo ⟶ 100
Subtraendo ⟶ - 65
Diferença ou resto ⟶ 035

Prova real
Obtém-se a prova real somando o subtraendo com a diferença, ou o resto. Se o resultado for igual ao minuendo, a operação estará correta.

TABUADA DE SUBTRAIR

1 - 1 = 0	2 - 2 = 0	3 - 3 = 0
2 - 1 = 1	3 - 2 = 1	4 - 3 = 1
3 - 1 = 2	4 - 2 = 2	5 - 3 = 2
4 - 1 = 3	5 - 2 = 3	6 - 3 = 3
5 - 1 = 4	6 - 2 = 4	7 - 3 = 4
6 - 1 = 5	7 - 2 = 5	8 - 3 = 5
7 - 1 = 6	8 - 2 = 6	9 - 3 = 6
8 - 1 = 7	9 - 2 = 7	10 - 3 = 7
9 - 1 = 8	10 - 2 = 8	11 - 3 = 8
10 - 1 = 9	11 - 2 = 9	12 - 3 = 9
4 - 4 = 0	5 - 5 = 0	6 - 6 = 0
5 - 4 = 1	6 - 5 = 1	7 - 6 = 1
6 - 4 = 2	7 - 5 = 2	8 - 6 = 2
7 - 4 = 3	8 - 5 = 3	9 - 6 = 3
8 - 4 = 4	9 - 5 = 4	10 - 6 = 4
9 - 4 = 5	10 - 5 = 5	11 - 6 = 5
10 - 4 = 6	11 - 5 = 6	12 - 6 = 6
11 - 4 = 7	12 - 5 = 7	13 - 6 = 7
12 - 4 = 8	13 - 5 = 8	14 - 6 = 8
13 - 4 = 9	14 - 5 = 9	15 - 6 = 9
7 - 7 = 0	8 - 8 = 0	9 - 9 = 0
8 - 7 = 1	9 - 8 = 1	10 - 9 = 1
9 - 7 = 2	10 - 8 = 2	11 - 9 = 2
10 - 7 = 3	11 - 8 = 3	12 - 9 = 3
11 - 7 = 4	12 - 8 = 4	13 - 9 = 4
12 - 7 = 5	13 - 8 = 5	14 - 9 = 5
13 - 7 = 6	14 - 8 = 6	15 - 9 = 6
14 - 7 = 7	15 - 8 = 7	16 - 9 = 7
15 - 7 = 8	16 - 8 = 8	17 - 9 = 8
16 - 7 = 9	17 - 8 = 9	18 - 9 = 9

MULTIPLICAR

A operação de multiplicar é aquela em que um número (**multiplicando**) se repete tantas vezes quantas unidades tem o outro número (**multiplicador**). **Multiplicando** e **multiplicador** são dois termos chamados de **fatores**, e o resultado da multiplicação é chamado de **produto** ou **total**.

Como fazer a multiplicação?

Basta escrever o multiplicador embaixo do multiplicando e uma linha embaixo. Multiplique cada unidade do multiplicador por todo o multiplicando: o primeiro algarismo da direita de cada resultado parcial deve ficar embaixo do algarismo multiplicador da vez. Faça uma nova linha e some os resultados parciais para achar o resultado total.

Exemplo:

Multiplicando ⟶ 579
Multiplicador ⟶ × 25
                 2895
                 1158+
Produto ou Total ⟶ 14475

Prova real

A prova real é obtida dividindo-se o produto total por um dos dois fatores. Se o resultado no quociente dessa divisão for igual ao outro fator, a operação estará correta.

TABUADA DE MULTIPLICAR

1 × 2 = 2 2 × 2 = 4 3 × 2 = 6 4 × 2 = 8 5 × 2 = 10 6 × 2 = 12 7 × 2 = 14 8 × 2 = 16 9 × 2 = 18 10 × 2 = 20	1 × 3 = 3 2 × 3 = 6 3 × 3 = 9 4 × 3 = 12 5 × 3 = 15 6 × 3 = 18 7 × 3 = 21 8 × 3 = 24 9 × 3 = 27 10 × 3 = 30	1 × 4 = 4 2 × 4 = 8 3 × 4 = 12 4 × 4 = 16 5 × 4 = 20 6 × 4 = 24 7 × 4 = 28 8 × 4 = 32 9 × 4 = 36 10 × 4 = 40
1 × 5 = 5 2 × 5 = 10 3 × 5 = 15 4 × 5 = 20 5 × 5 = 25 6 × 5 = 30 7 × 5 = 35 8 × 5 = 40 9 × 5 = 45 10 × 5 = 50	1 × 6 = 6 2 × 6 = 12 3 × 6 = 18 4 × 6 = 24 5 × 6 = 30 6 × 6 = 36 7 × 6 = 42 8 × 6 = 48 9 × 6 = 54 10 × 6 = 60	1 × 7 = 7 2 × 7 = 14 3 × 7 = 21 4 × 7 = 28 5 × 7 = 35 6 × 7 = 42 7 × 7 = 49 8 × 7 = 56 9 × 7 = 63 10 × 7 = 70
1 × 8 = 8 2 × 8 = 16 3 × 8 = 24 4 × 8 = 32 5 × 8 = 40 6 × 8 = 48 7 × 8 = 56 8 × 8 = 64 9 × 8 = 72 10 × 8 = 80	1 × 9 = 9 2 × 9 = 18 3 × 9 = 27 4 × 9 = 36 5 × 9 = 45 6 × 9 = 54 7 × 9 = 63 8 × 9 = 72 9 × 9 = 81 10 × 9 = 90	1 × 10 = 10 2 × 10 = 20 3 × 10 = 30 4 × 10 = 40 5 × 10 = 50 6 × 10 = 60 7 × 10 = 70 8 × 10 = 80 9 × 10 = 90 10 × 10 = 100

DIVIDIR

É a operação aritmética que consiste em determinar quantas parcelas (**quociente**) de certa quantidade (**divisor**) somada formam um número (**dividendo**). Nas divisões não exatas, há um número por dividir chamado de resto, que é sempre menor que o divisor.

Como fazer a divisão?

Para fazer essa operação, escreva o dividendo à esquerda do divisor e separe os dois por uma linha em ângulo reto (veja exemplo abaixo). Escreva embaixo do traço o quociente: cada algarismo que for necessário para conter o divisor.

O produto do quociente pelo divisor subtrai-se do primeiro algarismo à esquerda do dividendo: coloque o resto abaixo dele e, à direita, escreva o algarismo seguinte do dividendo. Repete-se a operação até não haver mais algarismos no dividendo.

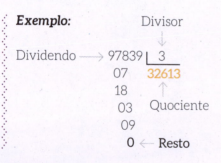

Exemplo:

Dividendo → 97839 | 3 ← Divisor
　　　　　　　07　　32613 ← Quociente
　　　　　　　18
　　　　　　　03
　　　　　　　09
　　　　　　　　0 ← Resto

Prova real

A prova real de uma operação de divisão é obtida multiplicando-se o quociente pelo divisor. Se o resultado for igual ao dividendo, a operação estará correta. Se houver resto, ele deve ser somado com o resultado.

TABUADA DE DIVIDIR

1 ÷ 1 = 1	2 ÷ 2 = 1	3 ÷ 3 = 1
2 ÷ 1 = 2	4 ÷ 2 = 2	6 ÷ 3 = 2
3 ÷ 1 = 3	6 ÷ 2 = 3	9 ÷ 3 = 3
4 ÷ 1 = 4	8 ÷ 2 = 4	12 ÷ 3 = 4
5 ÷ 1 = 5	10 ÷ 2 = 5	15 ÷ 3 = 5
6 ÷ 1 = 6	12 ÷ 2 = 6	18 ÷ 3 = 6
7 ÷ 1 = 7	14 ÷ 2 = 7	21 ÷ 3 = 7
8 ÷ 1 = 8	16 ÷ 2 = 8	24 ÷ 3 = 8
9 ÷ 1 = 9	18 ÷ 2 = 9	27 ÷ 3 = 9
10 ÷ 1 = 10	20 ÷ 2 = 10	30 ÷ 3 = 10
4 ÷ 4 = 1	5 ÷ 5 = 1	6 ÷ 6 = 1
8 ÷ 4 = 2	10 ÷ 5 = 2	12 ÷ 6 = 2
12 ÷ 4 = 3	15 ÷ 5 = 3	18 ÷ 6 = 3
16 ÷ 4 = 4	20 ÷ 5 = 4	24 ÷ 6 = 4
20 ÷ 4 = 5	25 ÷ 5 = 5	30 ÷ 6 = 5
24 ÷ 4 = 6	30 ÷ 5 = 6	36 ÷ 6 = 6
28 ÷ 4 = 7	35 ÷ 5 = 7	42 ÷ 6 = 7
32 ÷ 4 = 8	40 ÷ 5 = 8	48 ÷ 6 = 8
36 ÷ 4 = 9	45 ÷ 5 = 9	54 ÷ 6 = 9
40 ÷ 4 = 10	50 ÷ 5 = 10	60 ÷ 6 = 10
7 ÷ 7 = 1	8 ÷ 8 = 1	9 ÷ 9 = 1
14 ÷ 7 = 2	16 ÷ 8 = 2	18 ÷ 9 = 2
21 ÷ 7 = 3	24 ÷ 8 = 3	27 ÷ 9 = 3
28 ÷ 7 = 4	32 ÷ 8 = 4	36 ÷ 9 = 4
35 ÷ 7 = 5	40 ÷ 8 = 5	45 ÷ 9 = 5
42 ÷ 7 = 6	48 ÷ 8 = 6	54 ÷ 9 = 6
49 ÷ 7 = 7	56 ÷ 8 = 7	63 ÷ 9 = 7
56 ÷ 7 = 8	64 ÷ 8 = 8	72 ÷ 9 = 8
63 ÷ 7 = 9	72 ÷ 8 = 9	81 ÷ 9 = 9
70 ÷ 7 = 10	80 ÷ 8 = 10	90 ÷ 9 = 10

CARDINAIS E ORDINAIS

Cardinal é o número que expressa uma quantidade absoluta, enquanto **ordinal** é o número que indica a ordem ou a série em que determinado número se encontra incluído.

Exemplo: "o mês de julho tem 31 dias". Nesse caso, o número 31 indica a totalidade de dias desse mês. Ou seja, ele é um número cardinal. Porém, quando dizemos "dia 31 de julho", não estamos usando o número 31 para indicar os 31 dias do mês, mas o lugar desse dia dentro do mês: o trigésimo primeiro dia. Então, ele é um número ordinal.

CARDINAL	ORDINAL	CARDINAL	ORDINAL
Um	Primeiro	Quarenta	Quadragésimo
Dois	Segundo	Cinquenta	Quinquagésimo
Três	Terceiro	Sessenta	Sexagésimo
Quatro	Quarto	Setenta	Septuagésimo
Cinco	Quinto	Oitenta	Octogésimo
Seis	Sexto	Noventa	Nonagésimo
Sete	Sétimo	Cem	Centésimo
Oito	Oitavo	Duzentos	Ducentésimo
Nove	Nono	Trezentos	Trecentésimo
Dez	Décimo	Quatrocentos	Quadringentésimo
Onze	Décimo primeiro	Quinhentos	Quingentésimo
Doze	Décimo segundo	Seiscentos	Sexcentésimo
Treze	Décimo terceiro	Setecentos	Setingentésimo
Catorze	Décimo quarto	Oitocentos	Octingentésimo
Quinze	Décimo quinto	Novecentos	Nongentésimo
Dezesseis	Décimo sexto	Mil	Milésimo
Dezessete	Décimo sétimo	Milhão	Milionésimo
Dezoito	Décimo oitavo	Bilhão	Bilionésimo
Dezenove	Décimo nono	Trilhão	Trilionésimo
Vinte	Vigésimo	Quatrilhão	Quatrilionésimo
Trinta	Trigésimo	Quintilhão	Quinquilhonésimo

ALGARISMOS ROMANOS

Os algarismos romanos são usados principalmente para distinguir capítulos de uma obra, em nomes de papas e na designação de congressos, olimpíadas etc.

Esse sistema interessante representa os números com sete letras do alfabeto, atribuindo valores a cada uma delas.

Veja:
I = 1
V = 5
X = 10
L = 50
C = 100
D = 500
M = 1.000

Os numerais I, X, C, M só podem ser repetidos até três vezes.

I = 1	X = 10	C = 100	M = 1.000
II = 2	XX = 20	CC = 200	MM = 2.000
III = 3	XXX = 30	CCC = 300	MMM = 3.000

Colocando-se um traço horizontal sobre um ou mais numerais, multiplica-se seu valor por 1.000.

Exemplos:
$\overline{IV}$ = 4.000
$\overline{IX}$ = 9.000
$\overline{X}$ = 10.000

Atenção!

Os numerais I, X e C, quando escritos à direita de numerais maiores, somam-se seus valores aos desses numerais.

Exemplos:
VII = 7 (5 + 2)
LX = 60 (50 + 10)
LXXIII = 73 (50+20+3)
CX = 110 (100+10)
CXXX = 130 (100+30)
MCC = 1.200 (1.000+200)

Os numerais I, X e C, quando escritos à esquerda de numerais maiores, subtraem-se seus valores aos desses numerais.

Exemplos:
IV = 4 (5-1)
IX = 9 (10-1)
XL = 40 (50-10)
XC = 90 (100-10)
CD = 400 (500-100)
CM = 900 (1.000-100)

TABELAS DE UNIDADES DE MEDIDA

O sistema métrico decimal faz parte do sistema de medidas adotado no Brasil e tem como unidade principal fundamental o metro.

Comprimento

No sistema métrico decimal, a unidade fundamental para medir comprimentos é o metro, cuja abreviação é m. Seus múltiplos e submúltiplos são as unidades secundárias de comprimento.

MÚLTIPLOS			UNIDADE FUNDAMENTAL	SUBMÚLTIPLOS		
Quilômetro	Hectômetro	Decâmetro	METRO	Decímetro	Centímetro	Milímetro
km	hm	dam	m	dm	cm	mm
1.000 m	100 m	10 m	1 m	0,1 m	0,01 m	0,001 m

Área

No sistema métrico decimal, a unidade fundamental para medir superfícies ou a área é o metro quadrado, cuja representação é m². O metro quadrado (m²) é a medida da superfície de um quadrado com 1 metro de lado. Como na medida de comprimento, na área também temos os múltiplos e os submúltiplos.

MÚLTIPLOS			UNIDADE FUNDAMENTAL	SUBMÚLTIPLOS		
Quilômetro quadrado	Hectômetro quadrado	Decâmetro quadrado	METRO	Decímetro quadrado	Centímetro quadrado	Milímetro quadrado
km²	hm²	dam²	m²	dm²	cm²	mm²
1.000.000 m²	10.000 m²	100 m²	1 m²	0,01 m²	0,0001 m²	0,000001 m²

Volume

No sistema métrico decimal, a unidade fundamental para medir volumes é o metro cúbico, cuja representação é m³. O metro cúbico (m³) é o volume ocupado por um cubo de 1 metro de aresta. Como nas medidas de comprimento e de área, no volume também temos os múltiplos e os submúltiplos:

MÚLTIPLOS			UNIDADE FUNDAMENTAL	SUBMÚLTIPLOS		
Quilômetro cúbico	Hectômetro cúbico	Decâmetro cúbico	METRO	Decímetro cúbico	Centímetro cúbico	Milímetro cúbico
km³	hm³	dam³	m³	dm³	cm³	mm³
1.000.000.000 m³	1.000.000 m³	1.000 m³	1 m³	0,001 m³	0,000001 m³	0,000000001 m³

Outras unidades de volume: o litro

O litro (l) é uma medida de volume muito comum e que corresponde a 1 dm³. Além do litro, a unidade mais usada é o mililitro (ml), principalmente para medir pequenos volumes, como a quantidade de líquido de uma garrafa, de uma lata ou de uma ampola de injeção. Observando o quadro das unidades de capacidade, podemos verificar que cada unidade de capacidade é 10 vezes maior que a unidade imediatamente inferior, isto é, as sucessivas unidades variam de 10 em 10.

MÚLTIPLOS			UNIDADE FUNDAMENTAL	SUBMÚLTIPLOS		
Quilolitro	Hectolitro	Decalitro	LITRO	Decilitro	Centilitro	Mililitro
kl	hl	dal	l	dl	cl	ml
1.000 l	100 l	10 l	1 l	0,1 l	0,01 l	0,001 l

Outras unidades de volume: o grama

O grama é a milionésima parte do quilograma (kg). Quilograma é a unidade que resulta da multiplicação por mil. Cada unidade de volume é 10 vezes maior que a unidade imediatamente inferior.

Exemplos: 10 dag = 100 hg; 1 g = 10 dag.

MÚLTIPLOS			UNIDADE FUNDAMENTAL	SUBMÚLTIPLOS		
Quilograma	Hectograma	Decagrama	**GRAMA**	Decigrama	Centigrama	Miligrama
kg	hg	dag	**g**	dg	cg	mg
1.000 g	100 g	10 g	**1 g**	0,1 g	0,01 g	0,001 g

TABUADA CARTESIANA

	0	1	2	3	4	5	6	7	8	9	10
1		1	2	3	4	5	6	7	8	9	10
2		2	4	6	8	10	12	14	16	18	20
3		3	6	9	12	15	18	21	24	27	30
4		4	8	12	16	20	24	28	32	36	40
5		5	10	15	20	25	30	35	40	45	50
6		6	12	18	24	30	36	42	48	54	60
7		7	14	21	28	35	42	49	56	63	70
8		8	16	24	32	40	48	56	64	72	80
9		9	18	27	36	45	54	63	72	81	90
10		10	20	30	40	50	60	70	80	90	100